Contes traditionnels d'Afrique,
textes adaptés par Irena Aubert :

Piccolia

Madame Crocodile et la poule

Madame Crocodile vivait dans les eaux du Zaïre. Son appétit était si insatiable qu'aucun animal du marécage n'était à l'abri de ses puissantes mâchoires.
Un jour, une poule dodue descendit à la rivière pour boire.
« Ha ! Ha ! s'exclama madame Crocodile. Voici mon dîner ! »
Quand madame Crocodile poussa la tête hors de l'eau et ouvrit sa grande bouche, la poule la regarda sans aucune inquiétude.
« Bonjour, ma sœur ! » dit la poule.
Dans un claquement de dents, madame Crocodile referma alors la bouche, incapable de manger quelqu'un qui l'appelait sa « sœur ».
Les jours suivants, la même chose arriva, pourtant, madame Crocodile mourait d'envie de manger la poule.
N'y tenant plus, elle décida de découvrir si une poule pouvait vraiment être sa sœur.
Alors qu'elle venait de quitter la rivière, madame Crocodile rencontra un lézard.

« Lézard, lui dit-elle, j'ai un gros problème. Comme vous le savez, j'aime manger tout ce qui bouge, mais quand la poule vient à la rivière, elle m'appelle « ma sœur ». J'habite dans l'eau, et elle sur la terre. J'ai des écailles, et elle des plumes. J'ai une gueule, et elle un bec. J'ai quatre pattes, et elle deux pattes et deux ailes. Comment pouvons-nous appartenir à la même famille ?

- Ah, madame Crocodile, dit Lézard en souriant. Vous savez, on n'a pas besoin de se ressembler pour être liés. La poule, la tortue, l'autruche, vous et moi sommes tous pareils, et pour une raison très simple : nous pondons tous des œufs. Donc, même si nous ne nous ressemblons pas, nous sommes quand même des sœurs à notre façon ! »

Et c'est ainsi que la poule, maligne et courageuse, continua à boire tranquillement l'eau de la rivière, sans jamais être inquiétée par sa « sœur », madame Crocodile.

Pourquoi l'autruche et l'oryx courent-elles souvent ensemble ?

Autrefois, dans les temps lointains, l'autruche était très belle : le cou et la tête rayés noir et blanc, elle arborait fièrement deux longues cornes. À côté d'elle, l'oryx, la gazelle, se trouvait très laide et terne, avec sa peau grise. Jalouse, l'oryx dit un jour à l'autruche :
« Je suis beaucoup plus rapide que vous. Je suis sûre de vous battre à la course ! Et si je gagne, vous m'offrirez vos longues cornes et vos belles rayures noir et blanc. »
Certaine de gagner, l'autruche accepta le défi. Mais la gazelle était aussi rapide qu'intelligente. Elle choisit un terrain cahoteux, avec plein de rochers, qu'elle connaissait bien. Avec ses sabots, elle gambadait et sautillait sans aucun problème.

L'autruche, elle, habituée à courir sur les plaines tendres et verdoyantes, fut bien vite distancée. Incapable de rattraper la gazelle, elle boitillait et titubait à chaque pas.
L'oryx gagna la course et, avec elle, les belles cornes et rayures de l'autruche. Pauvre autruche ! Sa petite tête nue et ses plumes sans motifs paraissaient bien laides à présent. Très en colère au début, l'autruche finit par s'y habituer. Finalement, la vie était tellement plus facile sans ces lourdes cornes qu'elle portait avant ! Elle courait plus vite et n'était plus embêtée quand elle voulait picorer le sol.
Et comme elle n'était pas rancunière, l'autruche décida de rester avec l'oryx. Après tout, les nouvelles cornes de la gazelle étaient la meilleure défense contre les prédateurs.
Ainsi, on comprend mieux pourquoi on voit si souvent dans la brousse l'autruche courir avec l'oryx.

Pourquoi les hippopotames se cachent-ils dans l'eau ?

Dans les temps très anciens, les hippopotames vivaient sur la terre ferme. Ils étaient très respectés par tous les animaux, presque autant que les éléphants. De temps en temps, le chef des hippopotames donnait une grande fête en invitant tous les voisins. Il y avait les éléphants, bien sûr, mais aussi les buffles, les rhinocéros, les zèbres, les girafes et les gazelles. Mais, étrangement, en dehors des autres hippopotames, personne ne connaissait le nom du chef. Un jour, le chef des hippopotames déclara à ses invités :

« Vous êtes trop nombreux ! Seuls ceux qui connaissent mon nom pourront rester à la fête. »

Tous les animaux étaient vexés et se mirent à rouspéter. Soudain, une tortue, courageuse et têtue, prit la parole :

« Vénérable chef des hippopotames ! Si je trouve votre vrai nom, pourrai-je rester à votre fête ?

- Toi ? grogna le chef, tu es bien trop stupide. Si c'est toi qui trouve mon nom, j'aurai si honte que j'irai me cacher sous l'eau, et tous les autres hippopotames aussi, » répondit-il en ricanant.

Le jour suivant, la tortue, qui connaissait bien les habitudes des hippopotames, s'installa près de la mare et s'enfouit à moitié sous terre. Assoiffés, les hippopotames arrivèrent pour s'abreuver. Soudain, l'un d'eux trébucha sur la carapace de la tortue et s'écroula de tout son long.
« Aïe ! cria-t-il en s'adressant au chef. S'il vous plaît, Isantim, aidez-moi à me remettre sur pattes ! »
L'air hilare, la tortue fila en douce : elle connaissait enfin le vrai nom du chef des hippopotames.
Lors de la fête suivante, la tortue se présenta devant les hippopotames étonnés, puis s'écria :
« Bonjour Chef Isantim ! Merci pour ce bon repas que vous allez m'offrir ! »
Le chef n'en croyait pas ses oreilles. Honteux devant cette petite tortue maligne, il s'immergea en toute hâte dans l'eau, suivi de tous ses compères. Et ils s'y cachent toujours aujourd'hui...

Le dernier gâteau de riz

Il était une fois un couple très gourmand qui vivait dans une belle maison. La maison était entourée de manguiers majestueux et d'autres arbres qui donnaient plein de fruits. L'homme et la femme se régalaient en se préparant de délicieux desserts. Un jour, un de leurs voisins vint leur apporter des gâteaux de riz. L'homme et la femme les dévorèrent avec appétit, tellement ils étaient bons. À la fin, il ne resta qu'un seul gâteau de riz sur le plateau.

« C'est moi qui le mange ! déclara la femme.

- Et pourquoi pas moi ? s'offusqua l'homme.

- Et si on le partageait ? demanda la femme.

- Il est bien trop petit, répondit son mari.

- Je sais ! s'écria la femme. Celui qui réussit à garder le silence le plus longtemps possible gagnera le dernier gâteau de riz. »

L'homme fit juste « oui » de la tête, sans émettre aucun son. Puis, tous les deux, ils s'assirent sur un tapis dans leur chambre, l'un en face de l'autre, et ne se quittèrent plus des yeux.

Le temps passa et personne ne parla. La maison était plongée dans un profond silence. Malheureusement, ce calme inhabituel attira un voleur qui croyait qu'il n'y avait personne. Il commença à attraper des bijoux et d'autres objets de valeur, puis les fourra dans son sac. Le voleur entra ensuite dans la pièce où se trouvait le couple.

La femme et l'homme étaient si concentrés pour ne pas dire un mot qu'ils ne remarquèrent même pas la présence du voleur. Très étonné par ce couple immobile qui semblait dormir les yeux ouverts, le voleur continua tranquillement à ramasser des objets. Soudain, l'odeur du gâteau lui rappela que cela faisait longtemps qu'il n'avait rien mangé. Il s'en approcha doucement.

« Ne touche pas à notre gâteau ! » hurlèrent en même temps l'homme et la femme.

Surpris par ce cri, le voleur quitta la maison en courant, en oubliant même son sac avec tout son butin.

« Eh bien, dit la femme, nous avons perdu tous les deux ! Il ne nous reste qu'à manger le gâteau ensemble, une bouchée pour toi et une bouchée pour moi. »

Pourquoi les animaux n'ont-ils pas la même queue ?

Autrefois, les animaux qui vivaient sur terre n'avaient pas de queue. Ils sentaient bien qu'il leur manquait quelque chose d'important : le cheval n'arrivait pas à chasser les mouches, l'écureuil avait du mal à sauter de branche en branche et le renard était ridicule ! Le lion, en tant que roi des animaux, décida d'offrir une queue à chacun de ses sujets. Il demanda conseil au renard qui était connu pour sa ruse.

« Hmmm, réfléchit celui-ci, quelle excellente idée ! Mais tous les animaux ne peuvent pas avoir la même. Ce ne serait pas très joli.

- Alors, comment faire ? demanda le lion. Il faut que je me montre juste pour que personne ne soit jaloux de la queue de son voisin. »

Après un long moment, le renard proposa :

« C'est simple. Préparons toutes les queues à offrir et ceux qui arriveront les premiers recevront les plus belles. »

C'est ainsi que le renard demanda à tous les animaux de se présenter à midi, au bord du ruisseau.

Aussitôt le message transmis, le renard courut le plus vite possible pour être le premier. D'autres animaux le suivirent : le cheval, l'écureuil, le chat et le chien. L'éléphant, le cochon et le lièvre se présentèrent les derniers. Lorsque tous les animaux furent enfin réunis, le lion se mit à distribuer les queues. Il se servit d'abord lui-même : il choisit une superbe queue décorée d'un plumeau. Ensuite, il offrit des queues bien touffues au renard et à l'écureuil. Le cheval eut une magnifique queue en crin. Le chien et le chat étaient assez contents, eux aussi. Cependant, les animaux arrivés les derniers étaient bien déçus. L'éléphant eut juste une maigre cordelette. Il en fut si navré qu'il en porte aujourd'hui encore la trompe basse. La queue du cochon était fine comme un ver de terre. Il la fit boucler pour la rendre plus jolie. Enfin, le pauvre lièvre resta sans queue. Le chien arracha un petit morceau de la queue du chat. Depuis, le chat et le chien se détestent. Le lièvre en profita pour coller ce petit morceau sur son derrière, ce qui explique sa toute petite queue. Voici pourquoi les animaux n'ont pas les mêmes queues !

Le cheval du roi

Il était une fois un village, célèbre pour l'élevage des chevaux. Il s'appelait Madoungou-Boutchou. Le roi de ce village possédait le plus beau cheval du pays, qu'il adorait plus que tout au monde. Il était très gracieux et avait un magnifique pelage blanc.

« Peuple de Madoungou-Boutchou, écoutez-moi ! déclara un jour le roi. Voici Gérèse, mon cheval bien-aimé. Vous devez en prendre le plus grand soin. Et malheur à celui qui oserait un jour m'annoncer sa mort ! »

Gérèse était heureux à galoper dans les plus beaux pâturages. Mais un malheur arriva : le cheval blanc se fit mordre par un serpent et succomba aussitôt. Les villageois étaient tous paniqués. Qui aura le courage d'aller annoncer au roi cette mauvaise nouvelle ? Personne.

Soudain Vouzou, le sage du village, prit la parole :

« Je vais parler au roi. Nous ne pourrons pas lui cacher ce malheur bien longtemps. »

Une fois devant le palais, Vouzou s'inclina profondément pour saluer le roi, puis dit :

« Majesté, vous êtes vénéré et adoré parmi tous les rois car vous êtes le plus puissant et le plus intelligent. Grâce à vous et à votre amour des chevaux, notre village est prospère. Mais il y a une chose que j'aimerais partager avec vous. Il s'agit de votre cheval Gérèse. Ce matin, je l'ai vu dans un état bizarre.

- Dans quel état ? dit le roi, inquiet.
- Il était couché dans l'herbe, sans bouger, dit le sage humblement. Ses yeux étaient grandement ouverts, les quatre pattes raides, dégagées vers le ciel. Il était tout gonflé et, en plus, son odeur attirait les mouches. Qu'en pensez-vous, mon roi, vous qui connaissez si bien les chevaux ? »
Le roi réfléchit un instant et dit :
« Vouzou, d'après ce que je comprends, mon cheval bien-aimé est mort.
- Votre majesté, dit le sage, je n'ai jamais dit que Gérèse était mort. C'est vous-même qui l'avez dit. »
Le roi était bien obligé de reconnaître que Vouzou était un grand sage. Au lieu de le punir, il le nomma vice-roi du village. À compter de ce jour, tout le village retint la leçon selon laquelle qui ne risque rien n'a rien.

Le singe et la cigogne

Il était une fois un singe et une cigogne. Chacun vivait dans sa petite cabane, perchée sur un immense baobab. Ils étaient voisins mais aussi de bons amis.
Un jour, le singe invita la cigogne à déjeuner. Il prépara une bonne purée de maïs qu'il servit dans des assiettes plates. Très fier de son dîner, le singe se mit à dévorer sa purée en la mangeant avec ses deux mains. La cigogne, elle, grignotait à peine la bouillie avec son long bec, ne parvenant pas à avaler une seule bouchée.
« N'est-ce pas qu'elle est succulente, ma purée de maïs ? demanda le singe, sans même se soucier de l'embarras de son invitée.
- Hmmm », marmonna la cigogne fort mécontente.
Mais, comme elle était très bien éduquée, elle ne se plaignit pas pour ne pas vexer son ami le singe. Cependant, dans sa tête, elle cherchait déjà une idée pour lui rendre la pareille.

Quelque temps après, la cigogne invita le singe à dîner chez elle. Elle prépara une soupe de poisson qu'elle versa dans deux hautes cruches au goulot effilé. La soupe sentait délicieusement bon. La cigogne introduisit son long bec dans la cruche et, sans même faire attention à son invité, elle but tranquillement la soupe. Le pauvre singe tournait autour de sa cruche, ne sachant pas par quel bout la prendre. Elle était trop étroite et trop longue pour y mettre une cuillère. Le singe essaya de pencher la lourde cruche pour boire la soupe. Il finit par la renverser, et c'en fut fait de son repas !
La cigogne regarda le singe avec beaucoup de mépris. Le singe, lui, se mit en colère. Et depuis ce temps, la cigogne et le singe ne sont plus amis.

Le paysan et le roi des Échos

Un paysan partit en forêt pour défricher un bout de terrain. Il voulait en faire un champ. À peine commença-t-il son travail qu'il entendit une voix dans les buissons :
« Que fais-tu, paysan ?
- Je débroussaille.
- Attends, je vais t'aider. Je suis le roi des Échos. Je vais t'envoyer cent de mes sujets. »
Le roi envoya cent Échos qui nettoyèrent le terrain en un tournemain. Le paysan se dit :
« Avec une aide pareille, tout va pour le mieux ! »
Un peu plus tard, le paysan revint pour brûler les broussailles sèches. À peine eut-il le temps d'allumer le feu qu'une voix se fit entendre :
« Que fais-tu, paysan ?
- Je brûle les broussailles. Grâce aux cendres, la terre sera bien plus fertile.
- Attends, je vais t'aider. »
Cette fois-ci, le roi envoya trois cents Échos qui se mirent aussitôt à l'œuvre. En un clin d'œil, toutes les broussailles furent brûlées. Le paysan se dit :
« Avec une aide pareille, tout va pour le mieux ! »

C'était la saison des pluies. Le paysan prit un sac de graines de millet, puis s'en alla au champ pour semer. À peine commença-t-il sa besogne que le roi des Échos se fit entendre :
« Que fais-tu, paysan ?
- Je sème le millet.
- Attends, je vais t'aider. »
Et le roi lui envoya en aide neuf cents Échos. Les semailles furent terminées en moins de temps qu'il ne faut pour le dire. Le paysan se dit :
« Avec une aide pareille, tout va pour le mieux ! »
Très vite, le millet se mit à germer. À nouveau, le roi des Échos aida le paysan à arracher les mauvaises herbes, puis à chasser les oiseaux qui picoraient les graines. Enfin, le paysan se rendit au champ pour voir si le millet était bien mûr. Le roi des Échos l'appela comme d'habitude :
« Que fais-tu, paysan ?
- Je cueille quelques épis et je goûte mon millet pour voir s'il est mûr.
- Attends, je vais t'aider. »
Aussitôt, cent mille Échos accoururent, cueillirent tous les épis et les mangèrent. L'homme s'en alla tristement, les mains vides. Cette fois-ci, il se garda bien de dire : « Avec une aide pareille, tout va pour le mieux ! »

L'autruche, la reine des oiseaux

L'autruche était depuis toujours la reine des oiseaux. Grande et forte, elle savait courir très vite, mais surtout, elle était extrêmement sage et perspicace. Cependant, certains oiseaux, surtout ceux qui étaient fiers de voler haut et bien, se plaignaient de leur reine. L'aigle protestait plus que les autres :
« Comment se fait-il que l'autruche soit notre reine puisqu'elle ne sait pas voler ? Pendant que nous y sommes, une poule pourrait aussi bien faire l'affaire ! »
Le cormoran, l'albatros, puis le serpentaire se rallièrent à l'aigle. Ils décidèrent de choisir un nouveau roi ou une nouvelle reine.

« L’oiseau qui volera le plus haut régnera sur les autres », déclara l’aigle.
Personne n’osa protester pour ne pas contrarier le puissant aigle. L’autruche ne participa même pas à la compétition et, de honte, cacha sa tête dans le sable.
La compétition commença. Le cormoran, l’albatros et le serpentaire s’élevèrent très haut dans le ciel, mais l’aigle vola encore plus haut. Il planait triomphalement dans les nuages, quand il vit soudain un petit troglodyte s’agiter au-dessus de lui. Il s’était caché secrètement dans le plumage de l’aigle qui l’avait emporté jusque dans les nuages. L’aigle tenta en vain de le dépasser, mais les forces lui manquèrent. Les oiseaux furent interloqués et mécontents. Ce minuscule troglodyte ferait, en vérité, un piètre roi ! Le petit oiseau se hâta de les rassurer :
« Je ne veux pas être roi. Quel souverain pourrais-je faire ? Aussi mauvais que ce stupide aigle qui se laisse duper par n’importe qui ? Que la sage autruche continue à être notre reine ! »
Et c’est ainsi que l’autruche resta la reine des oiseaux.

Pourquoi les lianes grimpent-elles vers le ciel ?

Autrefois, dans la forêt vierge, de grands arbres puissants poussaient partout. Leur ombre protégeait les hommes du Soleil et leur feuillage les mettait à l'abri de la pluie. Les hommes vénéraient ces grands arbres qui méprisèrent alors les plantes faibles des sous-bois.

Parmi ces plantes, les lianes étaient les plus fragiles. Elles poussaient très vite mais n'avaient pas assez de force, ce qui les condamnait à ramper sur le sol au lieu de s'élever vers le ciel. Un jour, la plus grande et la plus vieille des lianes en eut assez de l'arrogance des grands arbres et leur dit :

« Grands arbres, pourquoi nous ignorez-vous ? Nous sommes les enfants de la même terre et parlons le même langage. »

La pauvre liane se fatiguait inutilement. Les grands arbres faisaient semblant de ne pas l'entendre.

« Nous sommes aussi puissantes et importantes que vous, continua-t-elle sans se décourager. Nous retenons l'humidité de la saison des pluies et la gardons pour la forêt en prévision de la saison sèche. Sans nous, un désert aride s'étendrait à cet endroit. »
Le plus grand et le plus vieil arbre de la forêt prit alors la parole :
« Si vous êtes aussi puissantes et importantes que vous le prétendez, pourquoi ne poussez-vous pas droit vers le ciel comme le font toutes les plantes qui se respectent. Agrippe-toi à ma branche si tu es si puissante et essaie de la recourber encore plus vers le sol ! »
La liane s'accrocha à la branche que l'arbre lui tendit. Bien entendu, elle ne put la recourber mais, en se redressant, l'arbre la souleva et ne put s'en débarrasser. Les autres lianes s'enroulèrent autour du corps de la vieille liane pour grimper vers le haut et, très vite, tous les arbres et les buissons en furent envahis, gémissant sous leur poids. Les grands arbres perdirent tout leur orgueil. Ils furent obligés d'admettre que même une liane, avec son air fragile, était bien capable d'être plus forte qu'eux.

La robe d'Awa

Il était temps pour le jeune chef du village de choisir une épouse.
« Elle doit être travailleuse et rusée, conseilla le vieux sage. Ainsi, elle pourra t'aider à diriger les villageois.
- Mais comment la choisir parmi toutes les filles ? demanda le jeune chef.
- Selon les vieilles coutumes, tu dois épouser celle qui sera capable de t'offrir le plus beau boubou. »
Ainsi, toutes les jeunes femmes du village se mirent à tisser, teindre et coudre sans relâche. Toutes sauf Awa, qui était si pauvre qu'elle n'avait aucun tissu pour faire une robe. Elle partit pleurer au bord de l'étang.
« Je suis pourtant aussi travailleuse et rusée que les autres filles, se plaignait Awa toute seule.
- Si tu dis vrai, lui dit une douce voix, alors je pourrai t'aider.
- Qui es-tu ? demanda Awa.
- Je suis l'eau de l'étang. Aide-moi à enlever toutes les feuilles mortes et la vase qui s'accumulent pour que je sois à nouveau cristalline. Si tu réussis, je t'offrirai un cadeau. »

Awa se mit au travail. Elle fabriqua des outils très astucieux pour enlever tous les déchets de l'étang. Elle travailla du lever du Soleil jusqu'à la tombée de la nuit.

« Je te suis très reconnaissante, dit l'eau de l'étang à Awa. Je suis à nouveau pure comme une source de montagne. Viens te rafraîchir. Tu l'as bien mérité. »

Awa entra dans l'eau. Et lorsqu'elle en ressortit, elle portait sur elle une robe très étrange : elle était faite d'eau. Ainsi vêtue, Awa se présenta devant le jeune chef et le sage.

« Voici le boubou que j'aimerais t'offrir », dit-elle.

À la grande surprise de tous les villageois, dans la robe se reflétait toute la vie autour : les visages surpris des hommes et des femmes, les oiseaux, les nuages dans le ciel, les feuilles soufflées par le vent...

« C'est le plus beau boubou qui n'ait jamais existé ! s'écria le jeune chef.

C'est toi Awa qui deviendra ma femme ! »